Wanda Chotomska

Dzieci pana Astronoma

Wanda Chotomska
Dzieci pana Astronoma

Okładka i ilustracje:
Marta Kurczewska

Konsultacja merytoryczna:
Joanna Brząkała (Planetarium i Obserwatorium Astronomiczne im. Arego Sternfelda w Łodzi)

Korekta:
Lidia Kowalczyk, Joanna Pijewska

Wydanie I
w Wydawnictwie Literatura

ISBN 978-83-7672-310-5

Wydawnictwo **Literatura**, Łódź 2014
91-334 Łódź, ul. Srebrna 41
handlowy@wyd-literatura.com.pl
tel. (42) 630-23-81
faks (42) 632-30-24
www.wyd-literatura.com.pl

Dzieci pana Astronoma

Przy ulicy Astronomów,
w jednym z bardzo wielu domów,
mieszkał sobie razem z żoną
roztargniony pan Astronom.
W domu nie widziało go się,
bo wciąż błądził po Kosmosie,
przez ogromne teleskopy,
których zresztą miał na kopy,
przez soczewki i lunety
badał gwiazdy i planety.

Kiedyś, kiedy przez teleskop
patrzył właśnie w dal niebieską,
kiedy w nos mu Księżyc świecił,
głos usłyszał: – Mamy dzieci!
Urodziła nam się naraz
bardzo miłych bliźniąt para!
Syn i córka – on i ona!
Jakie nadać im imiona?
Drogi mężu, pomyśl krzynę,
jak się ma nazywać synek?
– Teleskopek, droga żono –
– rzekł natychmiast pan Astronom.
– A córeczka? – Teleskopka!
Teleskopki, no i kropka!

Mija roczek, drugi, trzeci –
jak na drożdżach rosną dzieci.
Rosną we dnie, rosną nocą,
jedzą, piją oraz psocą.

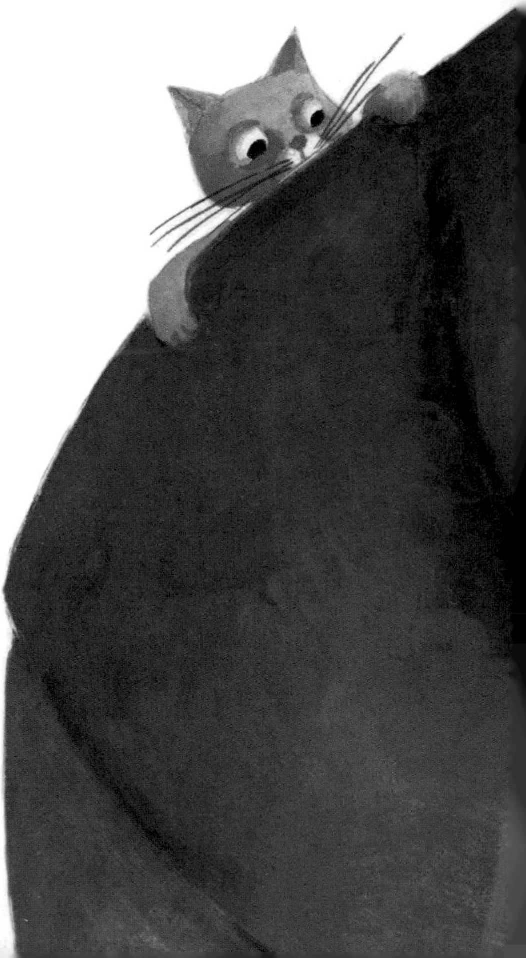

Dzieci puszczają zajączki

Przy ulicy Astronomów
słońce puka w okna domów.
Dzień się zbudził, zapiał kogut,
kot przeciąga się na progu,
kury gdaczą, pies zaszczekał,
mleczarz przywiózł wózek mleka,
więc bliźnięta wstały z łóżek
i wychodzą na podwórze.

Teleskopka karmi kotka,
siedząc na kamiennych schodkach,
Teleskopek na nią zerka:
– Przynieś szybko dwa lusterka! –
Jedno lustro wziął do rączki
i już puszcza nim zajączki.
Teleskopka, wielka śmieszka,
świeci drugim w okna mieszkań,
a tu okna ktoś otworzył
i wołają lokatorzy:
– Dzieci pana Astronoma
to Gomora i Sodoma!

Zezłościły się sąsiadki:
– Te bliźnięta to gagatki!
Co za dzieci! Co za dzieci!
Zaraz macie przestać świecić!

Astronoma obudzono.
Wyszedł z domu pan Astronom,
kiwnął głową, kiwnął bródką
i odezwał się cichutko:
– By zakończyć ten ambaras,
na przechadzkę chodźcie zaraz.
Ustawiajcie się w dwuszereg
i idziemy na spacerek.

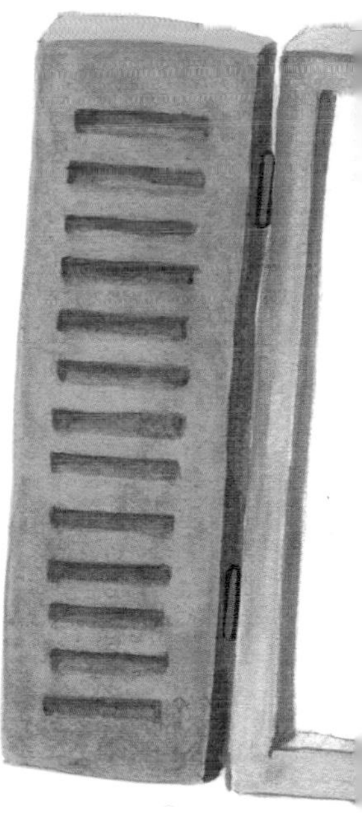

Dzieci śpiewają piosenkę

Nikt nie wyciera oczu chusteczką,
nikomu z oka nie kapie łza,
wszyscy od dzisiaj grają w słoneczko,
bo to jest świetna gra.

Grasz w słoneczko?
Gram w słoneczko!
Masz słoneczko?
Mam słoneczko!
Jestem słoneczny
i uśmiechnięty
od czubka głowy
do końca pięty.
Słoneczny uśmiech
na twarzy mam
i z całym światem
w słoneczko gram.
Masz słoneczko?
Mam słoneczko!
Grasz w słoneczko?
Gram w słoneczko!
Prawda, że to bardzo fajna gra?
A jak ktoś przegra, a jak ktoś skusi,
słoneczny uśmiech słońce mu da,
pięknym uśmiechem zapłacić musi,
bo to jest taka gra.

* * *

Szli, śpiewając, przez ulice,
podziwiali kamienice,
obejrzeli dwieście wystaw,
samochodów prawie trzysta,
pięć pomników, kominiarza,
straż ogniową i malarza.

Wreszcie rzekły Teleskopki:
– Tato, nas już bolą stopki!
Straszny upał dziś na mieście,
więc na lody chodźmy wreszcie!

I Astronom wraz z dzieciarnią
siadł w ogródku przed kawiarnią,
przy okrągłym żółtym stole,
pod pasiastym parasolem.

Jedli lody z poziomkami,
pili wodę z bąbelkami.
Właśnie przy tej wodzie z gazem –
zapytali naraz razem:
– Tato, czemu słońce świeci?
Tata zerknął na swe dzieci
i łyknąwszy łyczek kawy,
wykład zrobił im ciekawy.

Pan Astronom mówi o Słońcu

Dlaczego Słońce świeci?
To jasne jest od razu,
jeśli się wie, że Słońce
to wielka kula gazów.
Te gazy wciąż się tłoczą,
te gazy wciąż są w ruchu
i żarzą się, i prażą
w słonecznym wielkim brzuchu.

Słońce to kula gazów,
to gwiazda rozżarzona,
stąd właśnie płynie światło,
stąd płynie ciepło do nas.

Popatrzcie naokoło:
to wszystko, co widzicie –
świat roślin, ludzi, zwierząt –
Słońcu zawdzięcza życie.

Skończył tato swe wywody,
dzieci zaś skończyły lody,
zapłacili i po chwili
od stolika się ruszyli.

Po godzinie byli w domu
przy ulicy Astronomów.
Teleskopka drzwi otwiera.
– Co będziemy robić teraz?

Teleskopek krzyknął pierwszy:
– Wiesz co? Napiszemy wierszyk!
Wymyślimy różne rymy,
wiersz o Słońcu ułożymy!

Podskoczyła Teleskopka:
– To dopiero będzie szopka!
Słowo daję, jak tu stoję,
napiszemy wiersz oboje
i ten wiersz wyślemy w liście.
– Gdzie? – Do Słońca oczywiście!

Dzieci piszą list do Słońca

„Kochane Słoneczko,
co świecisz na niebie –
list czerwoną kredką
piszemy do Ciebie.

Słoneczko-lampeczko,
kochamy Cię za to,
że nas bardzo ładnie
opalasz przez lato.

Słoneczko-piecyku,
bardzo Cię prosimy:
ogrzewaj nas mocniej
również w czasie zimy.

Nie żałuj nam ciepła,
nie żałuj promieni
ani w dni wiosenne,
ani na jesieni.

Grzej, ile masz siły,
tak jak tylko możesz,
żeby przez rok cały
upał był na dworze.

Niech będzie gorąco,
żeby dla ochłody
musieli bez przerwy
kupować nam lody!

Więcej już nie mamy
żądań ani życzeń,
więc Cię całujemy
w każdy Twój promyczek".

Teleskopek z Teleskopką
list skończyli piękną kropką
i oboje zamaszyście
podpisali się na liście.

Odetchnęli. Ale zaraz
nowy zaczął się ambaras.
Bo jak wysłać list do Słońca?
Kogo użyć w roli gońca?
Listonosza?
– Nie!
Stwierdzono,
że tu na nic pan listonosz.

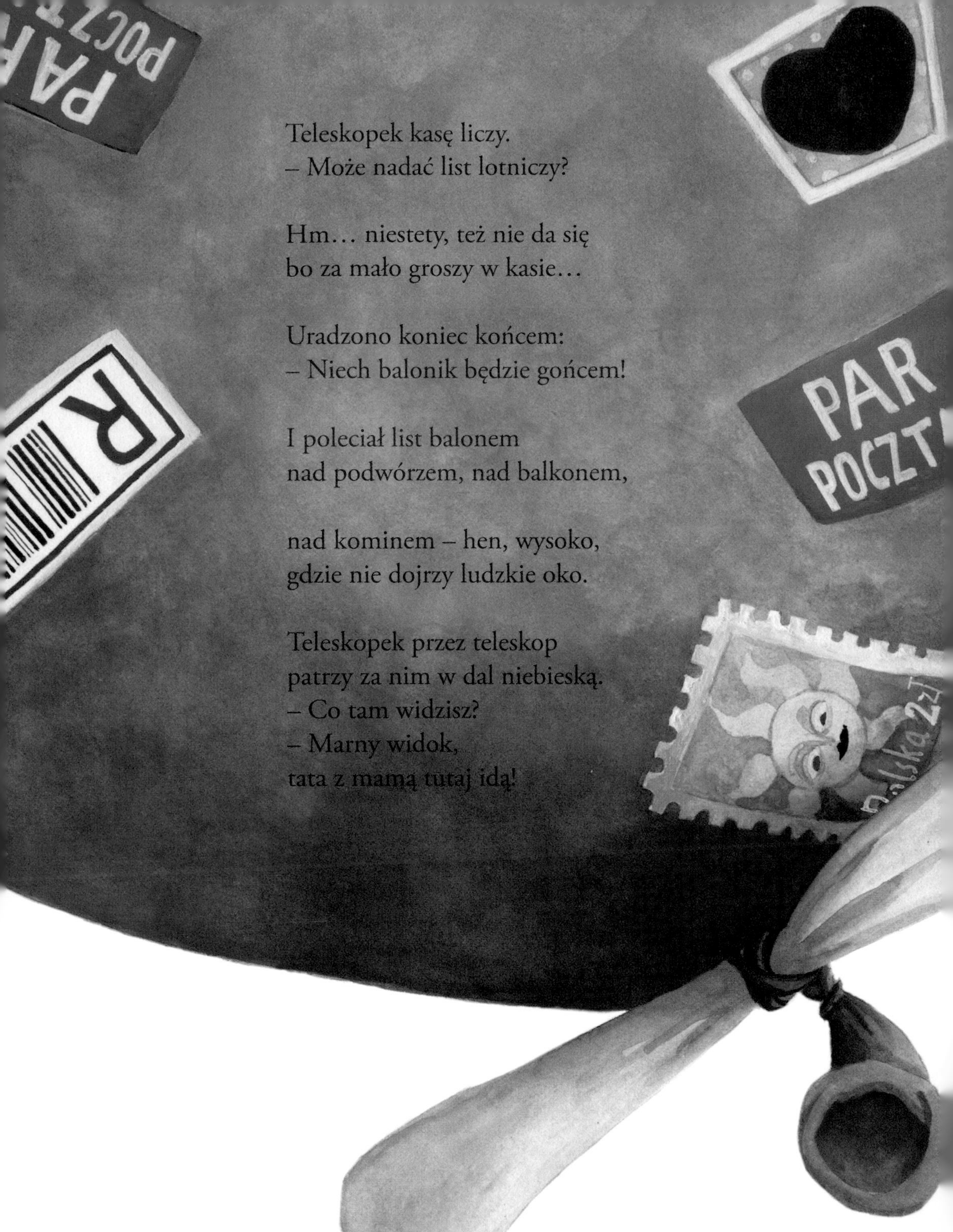

Teleskopek kasę liczy.
– Może nadać list lotniczy?

Hm… niestety, też nie da się
bo za mało groszy w kasie…

Uradzono koniec końcem:
– Niech balonik będzie gońcem!

I poleciał list balonem
nad podwórzem, nad balkonem,

nad kominem – hen, wysoko,
gdzie nie dojrzy ludzkie oko.

Teleskopek przez teleskop
patrzy za nim w dal niebieską.
– Co tam widzisz?
– Marny widok,
tata z mamą tutaj idą!

Mama tylko kiwa głową,
tata wzdycha: – Daję słowo,
słowo daję, moi złoci,
żadna z planet tak nie psoci!

A bliźnięta krzyczą na to:
– Dziwne rzeczy mówisz, tato!
Żadna z planet?
– Co to „planet”?
To jest słowo nam nieznane.
Niech nam tata wytłumaczy,
co to dziwne słowo znaczy!

Pan Astronom mówi o planetach

Wokół Słońca biega sobie
osiem planet dużych –
w dzień i w nocy wciąż się kręcą
stale są w podróży.

To Merkury, Wenus, Ziemia,
Mars i Jowisz krąży,
dalej Saturn, Uran, Neptun
też za nimi dąży.

Osiem planet wokół Słońca
ciągle jest w podróży,
kto pamięta ich imiona,
niech je tu powtórzy.

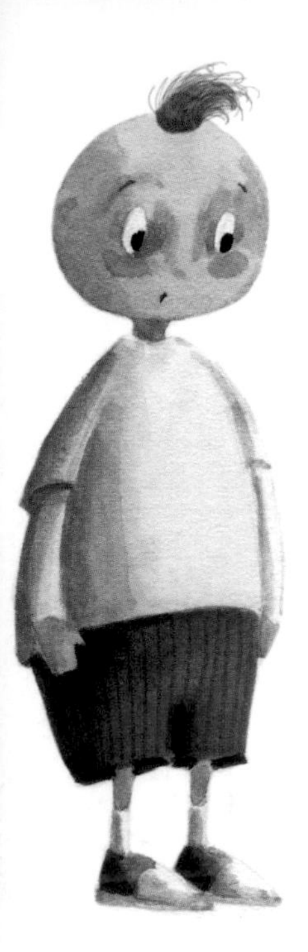

Jak wiadomo, od stuleci
dużo zabaw znają dzieci.
Lubią bawić się w komórki,
pędzą z górki na pazurki,
znają klasy, ślepą babkę,
fanty, kółko, boćka-żabkę,
dobrze wiedzą, co to berek
oraz innych zabaw szereg.

Naszych miłych bliźniąt para
też zna zabaw co niemiara,
lecz na wszystko kręcą nosem
i znudzonym mówią głosem:
– Nie zdajecie sobie sprawy,
jak nam zbrzydły te zabawy!
Wymyślimy coś nowego!
Coś zupełnie nieznanego!

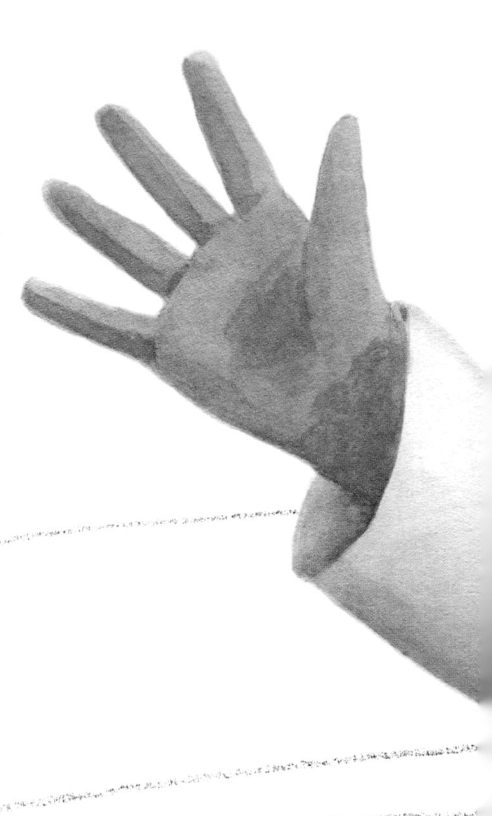

Zbiegła się kolegów chmara
i pytają wszyscy naraz:
– Co to będzie za zabawa?
– Czy wesoła? Czy ciekawa?

Teleskopek odparł z mety:
– Zabawimy się w planety!!!
Słońcem będzie Teleskopka.
– Teleskopka? A to szopka!

Dzieci bawią się w planety

Wszyscy wpadli w wielki zapał,
każdy prędko patyk złapał,
porobili różne koła
i gra toczy się wesoła.

Bez przecinka i bez kropki
pędzą wokół Teleskopki,
ona krzyczy zaś w zapale:
– Jestem Słońcem! Świecę stale!
Żarem bucham z głębi brzucha!
Każdy musi mnie się słuchać!
Jestem królem wszystkich planet!
Nigdy świecić nie przestanę!
Macie robić, co rozkażę,
więc wam każę paść na twarze!!!

JOWISZ wrzasnął z groźną miną:
– Opamiętaj się, dziewczyno!
Zastanowił się MERKURY:
– Przecież ona plecie bzdury!

MARS, strasznego robiąc marsa,
krzyknął gromko:
– To ci farsa!
WENUS się puknęła w ciemię,
SATURN łokciem stuknął ZIEMIĘ,
ZIEMIA padła na kolana
i rąbnęła w nos URANA.
MARS chciał skoczyć na ratunek,
ale zderzył się z NEPTUNEM.

I po chwili, moi mili,
wszyscy strasznie się czubili.
Tak się bili, że na końcu
JOWISZ guza nabił Słońcu.
Słońce się zalało łzami:
– Ja się nie chcę bawić z wami!

Dzieci stawiają pomnik

– Przy ulicy Astronomów
stoi bardzo dużo domów,
lecz brakuje tu pomnika
Mikołaja Kopernika –
tak powiedział pan Astronom,
kiedy szedł na spacer z żoną.

Popatrzyła bliźniąt para:
– Nie ma, ale będzie zaraz,
będzie pomnik Kopernika,
bo Kopernik wart pomnika!

ul. Astronomów

Skrzyknął chłopców Teleskopek:
– Do mnie, chłopcy! Tu, galopem!
Co Kopernik robił? Wiecie?
– On coś odkrył pierwszy w świecie.
– Mnie obiło się o uszy,
że Kopernik Ziemię ruszył.
– Wstrzymał Słońce, ruszył Ziemię,
polskie go wydało plemię.
– Wstrzymał Słońce? Co to znaczy?
– Ja wam mogę wytłumaczyć! –
tak oznajmił Teleskopek,
więc postawmy tu dwukropek:
– Tata mówił, że przed laty
ludzie się nie znali na tym
i nie wiedział nikt z uczonych,
jak ten świat jest urządzony.
„Słońce krąży wokół Ziemi” –
powtarzali ci uczeni
i pojęcia żaden nie miał,
że to właśnie krąży Ziemia.

Krąży, krąży i bez końca
kręci się dokoła Słońca!
To Kopernik odkrył pierwszy
i stąd właśnie jest ten wierszyk:
„Wstrzymał Słońce, ruszył Ziemię,
polskie wydało go plemię".
Zróbmy pomnik Kopernika,
bo Kopernik wart pomnika!

Pomyśleli chłopcy krzynkę,
postawili chłopcy skrzynkę.
– To jest cokół.
– A gdzie posąg?
– W prześcieradle już go niosą.
Od fryzury aż do pięty
w prześcieradło owinięty.
– Ty, a po co prześcieradło?
– Jak to po co? Żeby spadło.
Żeby spadło w tym momencie,
gdy nastąpi odsłonięcie.

– Teleskopko, chodź tu do nas!
Odsłoń pomnik astronoma!
Teleskopko, odsłoń pomnik
i o mowie nie zapomnij!

Teleskopka kwiaty taszczy.
– Przypadł mi w udziale zaszczyt,
zaszczyt przypadł mi w udziale…
Dobrze mówię?
– Doskonale!
Pociągnęła prześcieradło,
prześcieradło raz-dwa spadło…

Patrzą z okien lokatorzy:
– Co to? Kto to? Pomnik ożył!
Teleskopek na cokole?
Co się dzieje tam na dole?
To jest jakaś nowa szopka!

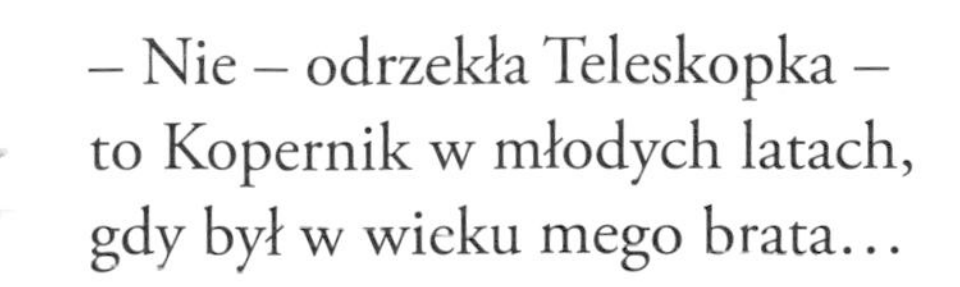

– Nie – odrzekła Teleskopka –
to Kopernik w młodych latach,
gdy był w wieku mego brata…

Przy ulicy Astronomów
zasypiają okna domów,
pod kołdrami srebrnej blachy
zasypiają wszystkie dachy.
Wiatr obłoki do snu zgarnia,
śpią kominy i latarnia,
sennie mruczą drzewa śpiące,
koty kończą koci koncert
i zagląda kotom w oczy
Księżyc, co po niebie kroczy.

W noc Księżycem wysrebrzoną
patrzył właśnie pan Astronom,
a tu z domu zakamarków
wyszła para nocnych marków.

Teleskopek z Teleskopką
zatupali bosą stopką
i oboje jak nie wrzasną:
– Księżyc nam nie daje zasnąć!
Księżyc łazi nam po głowie –
o Księżycu nam opowiedz!

Pan Astronom mówi o Księżycu

– Dookoła Ziemi
ciągle sobie biega
Księżyc – naszej Ziemi
najbliższy kolega.
Cały miesiąc musi
biegać dookoła,
zanim raz okrążyć
naszą Ziemię zdoła.
Słońce go oświetla –
tam gdzie Słońce zerka,
światło się odbija
tak jak od lusterka.
Sam Księżyc nie świeci,
to, co widać z Ziemi,
jest właśnie odbiciem
słonecznych promieni.

* * *

Przerwał wykład pan Astronom,
siedzi z miną zamyśloną.
Podskoczyła bliźniąt para,
obydwoje piszczą naraz:
– Tato, zdradź nam tajemnicę,
czy gdzieś jeszcze są księżyce?

– Mars niedużo, bo dwa ma,
Saturn aż sześćdziesiąt dwa,
Neptun trzynastoma włada.
A kto więcej ich posiada?
Uran ma dwadzieścia siedem,
ile Jowisz? Może jeden?
Teraz, moi drodzy, cisza,
bo doszliśmy do Jowisza.

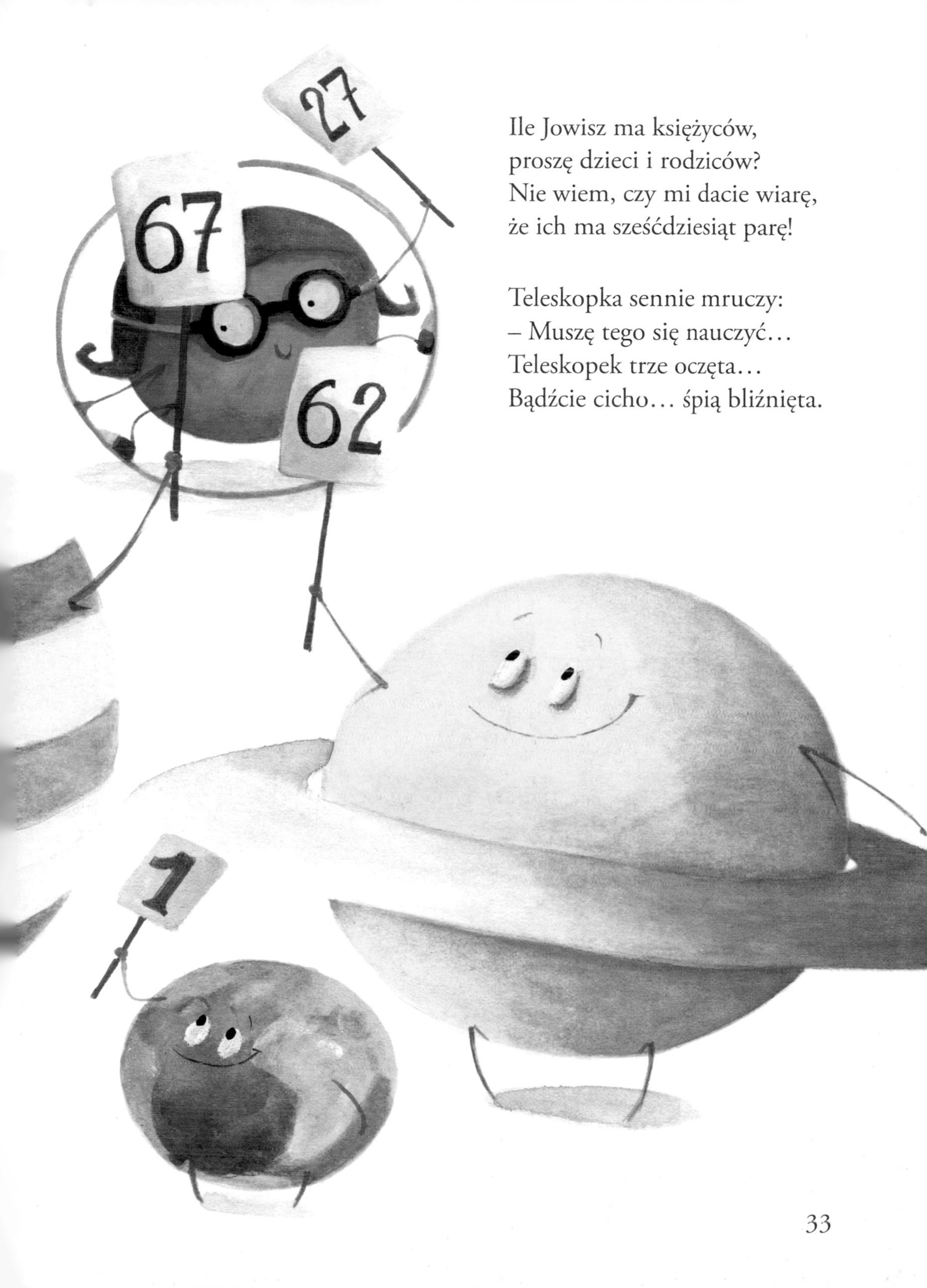

Ile Jowisz ma księżyców,
proszę dzieci i rodziców?
Nie wiem, czy mi dacie wiarę,
że ich ma sześćdziesiąt parę!

Teleskopka sennie mruczy:
– Muszę tego się nauczyć…
Teleskopek trze oczęta…
Bądźcie cicho… śpią bliźnięta.

Dzieciom śnią się księżyce

Śni się ulica i śnią się dachy,
dachy, ulice, ulice,
a nad dachami ze srebrnej blachy
srebrne i złote księżyce.

– O – miauczą koty. – O – piszczą koty. –
Czy nam się śni, czy nie śni?
Tu księżyc srebrny, tam księżyc złoty
drogę na niebie kreśli.

Psy wyszły z budy. – O, co to znaczy –
okropnie kręcą szyją.
Tuzin księżyców każdy zobaczył,
więc do księżyców wyją.

– O – kocie oczy. – O – kocie oczy,
a w kocich oczach zieleń. –
Tuzin księżyców na nas się toczy.
O – tego już za wiele!

Popatrz na koty i nic się nie dziw,
że w górę zadarły noski –
przecież na każdym księżycu siedzi
wąsaty imć pan Twardowski.

Psy oniemiały, proszę rodziców,
koty dostały zeza,
wszyscy Twardowscy spadli z księżyców
i tańczą poloneza!

* * *

Przy ulicy Astronomów
zamieszanie w całym domu –
trzy kuzynki i dwie ciotki
pieką torty i szarlotki,
pianę biją dwaj wujkowie,
dziadek mak trze na makowiec,
stryjek kręci jajka z cukrem,
babcia robi babkę z lukrem.

Pan Astronom zamyślony
szepce w kącie coś do żony.
Tajemnicze mają miny.
– Jutro dzieci urodziny!
Co w prezencie na to święto,
droga żono, dać bliźniętom?

Rzekła żona: – Moim zdaniem,
trzeba kupić im ubranie.
– Nie! Nie! – krzyknął pan Astronom. –
To zbyt zwykłe, moja żono,
prędko wymyśl coś innego,
coś takiego… niezwykłego!

– Może rower? Dwa rowery?
– Nie! Nie! Jeśli mam być szczery,
to się zawsze boję szczerze,
gdy ktoś jedzie na rowerze.

Tu się wtrącił wuj ze stryjkiem:
– Kupmy dzieciom loteryjkę.
– Nie! – krzyknęły obie ciotki. –
Lepiej łyżwy albo wrotki!
Babcia pokręciła głową:
– O, nie, wrotki to niezdrowo!
Lepiej pułk żołnierzy z blachy.
Dziadek wtrącił: – Lepiej szachy. –
Lecz ogólny słysząc sprzeciw,
orzekł: – Zapytajmy dzieci!

Para bliźniąt po namyśle
rzekła chytrze: – Mówiąc ściśle,
nam niczego nie potrzeba,
prócz drobnostki – gwiazdki z nieba.
Proszę wujków, cioć i taty –
chcemy gwiazdkę – nic poza tym!

Puknął się Astronom w czoło:
– Już wiem, co wam kupię! Zoo!
– Lecz co zoo ma do gwiazdki???
– Co? Słuchajcie opowiastki…

Pan Astronom mówi o gwiazdach

– Nasze Słońce ma rodzinę,
najliczniejszą z rodzin –
każda gwiazda, ile jest ich,
w skład rodziny wchodzi.

Słońce jest podobne gwiazdom –
każda z gwiazd z osobna,
od największej do najmniejszej,
Słońcu jest podobna.
Oczywiście wiem, że zaraz
ktoś pytanie da mi:
„Czyżby Słońce było gwiazdą,
a gwiazdy słońcami?".
Tak – odpowiem. – Tak jest właśnie,
macie rację, dzieci,
i dlatego każda gwiazda
tak jak Słońce świeci.

Tutaj nastąpiła cisza,
pan Astronom się zadysz
Niecierpliwią się bliźnię
– Tato, a gdzie te zwierzęta?
Wspominałeś coś o zoo,
a o gwiazdach mówisz w koło!

Pan Astronom kiwnął bródką:
– Będzie zoo! – odparł krótko. –
Zaraz przyjdzie na nie pora,
zoo będzie w gwiazdozbiorach.

Pan Astronom mówi o gwiazdozbiorach

– Gdy na niebo patrzą ludzie
z wsi, miasteczek oraz miast,
widzą różne gwiazdozbiory –
gwiazdozbiory – zbiory gwiazd.
Bardzo dużo gwiazdozbiorów,
moi drodzy, dobrze znam,
lecz opowiem tylko o tych,
które są najbliższe nam.
Słońce, Księżyc i planety –
cały nasz najbliższy świat –
wśród tuzina gwiazdozbiorów
krąży od miliardów lat.
Te dwanaście gwiazdozbiorów,
co pas tworzą wokół nas,
to jest właśnie ów zwierzyniec,
czyli ZODIAK – proszę was!

Zaklaskały dzieci w ręce:
– Tato, powiedz nam coś więcej!
To historia wprost niezwykła!
O zwierzyńcu zrób nam wykład!

Pan Astronom mówi o zodiaku

– W tym niebieskim zwierzyńcu,
proszę zacnych słuchaczy –
cuda można oglądać,
cuda można zobaczyć!
Każdy okaz na pokaz,
hokus-pokus i cud!
Różne cudy na pudy,
a tych cudów jest w bród.

BARAN stoi na przodzie,
choć ma rogi – nie bodzie.
Zaraz za nim BYK byczy,
który nigdy nie ryczy.
Dalej widać BLIŹNIĘTA,
RAK im depce po piętach.
LEW ogląda się srogo,
PANNA niesie mu ogon.
WAGA patrzy w jej stronę,
wisi tuż przed SKORPIONEM.
Jest i STRZELEC w tym tłumie,
ale strzelać nie umie.
KOZIOROŻEC nie bryka,
lecz prowadzi WODNIKA,
a ten, patrząc za siebie,
liczy RYBY na niebie,
przed którymi ów BARAN
stoi właśnie jak taran…
Tu zamyka się koło
oraz wykład o zoo.

Skończył mówić pan Astronom,
a bliźniętom oczy płoną.
Teleskopka, wniebowzięta,
mówi: – W zoo są Bliźnięta!
Para Bliźniąt – tak jak w domu
przy ulicy Astronomów!

Teleskopek marszczy czoło,
myśli o niebieskim zoo,
aż wykrzyknął sam do siebie:
– Rak nieborak jest na niebie!
W moim guście taka draka –
ujrzeć w niebie – nieboraka!

Koziorożec, Lew, Byk, Baran –
podskoczyła nasza para:
– Chodź nam zoo kupić, tato,
przecież my czekamy na to!
Nie pomogą żadne miny –
jutro nasze urodziny,
obiecałeś na to święto
zoo kupić swym bliźniętom.

Roztargniony pan Astronom
zrobił minę przerażoną,
głuchym głosem jęknął: – Oo!
Za co ja wam kupię zoo?

Rozpłakały się bliźnięta:
– Obiecałeś! Nie pamiętasz?
Obiecałeś! Na Jowisza –
cały dom to przecież słyszał!
Yy… cacanka-obiecanka…
Yy… a teraz niespodzianka…
– My nie chcemy niespodzianek!
My jesteśmy oszukane!

Pan Astronom słysząc jęki,
chudy portfel wziął do ręki,
mrucząc z miną niewesołą:
– Ha! Spróbujmy kupić zoo!

Teleskopka z Teleskopkiem
z miejsc ruszyli się galopkiem,
jak rakiety mknąc do przodu,
polecieli do ogrodu
i choć późna była pora,
odszukali dyrektora.
Pan Astronom kiwnął bródką,
a bliźnięta rzekły krótko:
– Tatuś ma do pana sprawę.
Jaką? Powie sam niebawem.
Zostawimy panów samych
i zwierzyniec pozwiedzamy.

Poszły dzieci zwiedzać zoo,
przyglądały się bawołom,
obejrzały panter kilka,
stado żubrów, słonia, wilka,
nosorożca, sępa, lisa,
dwa lamparty i tygrysa,
papug nie wiadomo ile,
pięć pawianów, trzy goryle,
krokodyle, antylopy,
dziki, żbiki oraz szopy.
Zatrzymały się przed strusiem,
przyglądając chwilę mu się,
potem okiem niezbyt czułym
obrzuciły lwa i muły,
zebry, bobry i kojota,
który się po klatce miotał.
Misia, morsa oraz fokę
ledwie zaszczyciły wzrokiem,
wykrzywiły się do lamy
i ziewnęły:
– Dosyć mamy!

Odwróciły się na pięcie:
– Co po takim nam prezencie?
Cóż – zwierzęta jak zwierzęta –
ale gdzie tu są Bliźnięta?
Koziorożca wśród rogaczy
i ze świecą nie zobaczysz,
szukaliśmy Strzelca z Wagą –
Wagi nie ma i nie ma go,
Panny możesz szukać sto dni,
w żadnej klatce nie tkwi Wodnik…
Te okazy, co są w klatkach,
bawić mogły prapradziadka,
ale nie nas, proszę taty,
myśmy się poznali na tym!
Takie zoo mamy w nosie –
lepsze zoo jest w Kosmosie!

– Racja! – krzyknął pan Astronom
z miną nagle rozjaśnioną. –
Po tym, coście powiedzieli,
mogę schować swój portfelik.
Ach, jakże mi jest wesoło,
że nie chcecie tego zoo!

A bliźnięta krzyczą na to:
– Tamto zoo kup nam, tato!
A jak nie chcesz kupić nam, to –
pokaż nam choć zoo tamto!
Wiemy, że tam trudny dojazd,
więc nam zrób – kosmiczny pojazd!!!

– Hm… – powiedział pan Astronom
z miną wielce zamyśloną. –
Rola ojca nie jest łatwa,
gdy chce w Kosmos lecieć dziatwa.
Lecz cóż robić – jeśli chcecie,
pomyślimy o rakiecie.
Pomyślimy o niej w domu
przy ulicy Astronomów…

* * *

Poszli myśleć. Dotąd myślą,
więc prosimy was o ciszę.
Co wymyślą – to nam przyślą,
a ja znowu to opiszę.

Spis treści